La route du Pays-Brûlé

Atelier 10

Atelier 10 est une entreprise sociale qui a pour mission de publier des textes originaux, soignés et susceptibles de nous permettre de mieux comprendre les enjeux de notre époque, de prendre part activement à la vie de notre société et de mener une existence plus signifiante et satisfaisante.

156, rue Beaubien Est, Montréal (Québec) H2S 1R2
info@atelier10.ca · àtelier10.ca · 514 270-2010

Adhérant aux plus hautes normes de transparence, de responsabilité sociale et de performance environnementale, Atelier 10 détient la prestigieuse certification internationale B Corporation.

Partenaires associés

Jonathan Livernois

La route du Pays-Brûlé

———

Archéologie et reconstruction du
patriotisme québécois

Documents

Un projet d'Atelier 10

La collection *Documents* est dirigée
par Nicolas Langelier.

Nous utilisons l'orthographe modernisée.

Édition Nicolas Langelier et Judith Oliver
Révision Liette Lemay
**Design de la couverture, conception typographique
et montage** Jean-François Proulx
Photographies Justine Latour

Diffusion / distribution au Canada
Flammarion / Socadis

Atelier 10
156, rue Beaubien Est
Montréal (Québec) H2S 1R2

atelier10.ca

Catalogage avant publication
Bibliothèque et Archives nationales du Québec et
Bibliothèque et Archives Canada

Livernois, Jonathan, 1982-

La route du Pays-Brûlé : archéologie et reconstruction du
patriotisme québécois

(Documents)
Comprend des références bibliographiques.

ISBN 978-2-89759-136-6

1. Patriotisme - Québec (Province). 2. Nationalisme -
Québec (Province). I. Titre. II. Collection : Documents
(Atelier 10 (Organisme)).

FC2920.P3L58 2016   320.5409714   C2016-940652-0

Dépôt légal
Bibliothèque et Archives nationales du Québec, 2016
Bibliothèque et Archives Canada, 2016

ISBN version imprimée : 978-2-89759-136-6
ISBN version numérique (ePub) : 978-2-89759-138-0
ISBN version numérique (PDF) : 978-2-89759-137-3

© Atelier 10, 2016

Nous remercions la Société de développement des
entreprises culturelles pour son soutien.

SODEC
Québec ✚✚ ✚✚

Nous remercions le Conseil des arts du Canada
pour son soutien. L'an dernier, le Conseil a investi
153 millions de dollars pour mettre de l'art dans la
vie des Canadiennes et des Canadiens de tout le pays.

Conseil des arts   Canada Council
du Canada   for the Arts

Nous reconnaissons l'appui financier du gouvernement
du Canada.

Canadä

Table des matières

À Julien Lewis-Livernois,
parce que tout ça est fulgurant.

À Nelson Lewis,
qui incarne la fierté, simple, à conquérir.

Introduction

«En montant à la gare Windsor, j'étais fédéraliste; en descendant à Banff, j'étais séparatiste», a dit Jacques Parizeau.

C'est étrange, j'ai parfois l'impression de prendre le chemin que Parizeau a parcouru en 1967, mais en sens inverse. Je m'arrête toujours, pas très loin. Mais rien ne me permet de présumer que je n'irai pas au bout, tôt ou tard.

Je suis un peu moins souverainiste, par les temps qui courent. Surtout depuis l'automne 2015. Le déclencheur a été d'une banalité déconcertante : une publicité électorale du Bloc québécois qui cherchait maladroitement à amalgamer un niqab et un oléoduc. Ça a donné un sens à ce que je pressentais depuis quelque temps : le projet de pays, si longtemps présenté sous son jour incantatoire, est étonnamment rapetissé à une série de peurs mêlées. Comme si, après 50 ans de réflexion et d'éducation sur la question nationale, montrant la viabilité du projet de pays et son caractère généreux, il s'agissait de tout laisser en plan pour assurer une sorte de repli inquiétant. Comme si on revenait en arrière, en amont du Rassemblement pour l'indépendance nationale (RIN). Dans ces circonstances, il devient difficile de suivre le défilé. Et, à plus forte raison, de l'ouvrir.

Le débat est vieux comme l'idée d'indépendance au Québec : le pays doit-il, oui ou non, être structuré par un projet de société clair, qu'il soit de gauche ou de droite ? Gaston Miron, parmi d'autres, disait qu'on aurait tout le temps de se chicaner à ce propos *après* l'indépendance. Pourtant, aujourd'hui, quand l'ancien premier ministre Bernard Landry dit que l'indépendance n'est ni à gauche ni à droite mais en avant, c'est surtout un mur que je vois. Et quand l'indépendantisme et le nationalisme servent à gommer les différences idéologiques, à amalgamer par exemple Pierre Falardeau à Christian Rioux (comme le proposait récemment Louis Cornellier dans *Le Devoir*), j'ai peur qu'on finisse par tout mêler. Peut-on être l'allié objectif d'un homme ou d'une femme quand on ne partage pas les mêmes valeurs sociales, juste parce qu'on vise un même objectif constitutionnel?

Il y a, pour moi, urgence de démêler l'écheveau. Pour y voir clair, je veux pouvoir comprendre d'où viennent mon amour et ma fierté du Québec, cette impression, tenace, qu'il constitue une nation à part entière. Cela s'appelle du patriotisme. Pour recharger ce mot d'un sens qu'il semble avoir perdu depuis longtemps, je veux en faire l'archéologie. Comment ce sentiment est-il né, chez moi? Sur quoi repose-t-il?

Il y a tout de même une lueur, ici, puisque j'espère également trouver, dans cet amour de la patrie québécoise, ce qui renverserait la vapeur, ce qui permettrait de dire: voilà, le Québec, c'est n'importe quoi depuis un bout de temps, mais ça vaut la peine qu'on se batte pour lui.

Dans cet essai, il y aura donc deux choses: d'abord, une tentative de faire l'archéologie de mon imaginaire patriotique. Je ferai remonter à la surface toutes sortes de choses éparses: la chemise Mackinaw de mon grand-père maternel, les mensonges de mon ancêtre patriote, *Les Belles histoires des pays d'en haut*, la route du Pays-Brûlé, etc. C'est la trame de mon univers, de ce qui me rattache fortement au Québec. Je tiens le pari que cet univers aura quelque écho chez le lecteur. Que ce dernier redécouvrira le sien, en chemin.

Je m'attacherai ensuite à ce que pourrait bien être un patriotisme renouvelé, prospectif, au gout du jour et non plus condamné au dessèchement muséal. Ce nouveau patriotisme me permettra peut-être de retrouver la voie royale de mon indépendantisme. Je tiens le pari que cela aura, aussi, quelque écho chez le lecteur.

J'ai demandé à la photographe Justine Latour non pas tant d'illustrer mon propos que de créer le sien, à partir de cette même idée : la patrie et sa critique. Inspirée par les séries de Raymond Depardon (*San Clemente*) et de Robert Longo (*Men in the Cities*), elle a créé ces figures, ombragées, ces corps, comme des caractères typographiques, qu'on retrouve, çà et là, dans l'essai.

Jonathan Livernois
Mansonville, le 19 mars 2016
Fête de saint Joseph

Partie 1

Archéologie du patriotisme québécois

«Après avoir annoncé une construction,
je lui dévoilerai un amas de ruines.»

Hubert Aquin
Journal, 26 octobre 1962

Le patriote de l'année 1993

Dans son récit autobiographique *Les mots* (1964), Jean-Paul Sartre décrit le caractère résolument sacré que revêtaient pour lui les livres de son grand-père. Il écrit, à propos de ces «pierres levées»: «Je m'ébattais dans un minuscule sanctuaire, entouré de monuments trapus, antiques, qui m'avaient vu naitre, qui me verraient mourir et dont la permanence me garantissait un avenir aussi calme que le passé.» Je comprends bien ce passage. «Un avenir aussi calme que le passé»: ça sauve n'importe qui, à commencer par un enfant de 11 ans qui creuse. C'est bien à cet âge que mon patriotisme est né.

En 1993, j'étais le plus jeune membre de la Société généalogique canadienne-française. Je visionnais des microfilms aux Archives nationales du Québec, logées à l'époque dans une ancienne école secondaire de Pointe-Saint-Charles. J'y ai appris tout plein de choses sur mes ancêtres. Par exemple, que mon aïeul maternel, Guillaume Labelle, colon-fondateur de l'île Jésus, possédait en 1681 un fusil, deux bêtes à cornes et quatre arpents de terre cultivée. Laval, c'est la faute de ma famille.

Mes recherches se déroulaient également sur le terrain. Je creusais dans la terre. À Saint-Constant, à la campagne, chez mes grands-parents Labelle, c'était facile de le faire. Mon grand-père retournait la terre de son potager; j'y ai trouvé de la vieille vaisselle, des clous de forge, mais aussi des morceaux de pipes de plâtre. Nul doute pour mon grand-père: il s'agissait de celles de son propre grand-père, Rodrigue Labelle, décédé en 1930. La lignée était incarnée dans ces artéfacts.

Ça allait même plus loin : à partir d'une roche trouvée, j'avais imaginé des Amérindiens se reposant sur le terrain de mes grands-parents. J'avais entendu parler de recherches archéologiques dans la montée Saint-Régis, aujourd'hui complètement disparue sous les nouveaux lotissements. Saint-Constant, en Montérégie, passait alors de village à banlieue. On détruisait les maisons de ses patriotes et faisait disparaitre jusqu'au tracé de ses rangs et montées.

Cela dit, la découverte la plus déterminante de cette époque a été faite dans le sous-sol de mon grand-père paternel, Denis Livernois. Parmi deux ou trois trucs rescapés d'inondations successives (comme plusieurs choses à Saint-Constant, le réseau d'égouts n'a pas suivi la modernité), j'ai trouvé un livre. L'édition de 1937 des *Patriotes de 1837-1838*, ce grand récit de Laurent-Olivier David consacré aux soulèvements infructueux qui ont alors déchiré le pays, publié originalement en 1884. J'y ai compris que malgré (et grâce à) la mort, l'héroïsme, les batailles, les vilénies et autres trahisons, je marchais sur du solide, du vrai. Par une sorte d'opération alchimique que je ne pourrais expliquer, j'étais fier et rattaché par les pieds au Québec. Ce livre me fournissait la preuve d'un « avenir aussi calme que le passé ». Sentiment diffus, qui ne repose pas sur grand-chose, mais que d'aucuns nommeront *patriotisme*. La fierté d'être d'ici et d'y mourir, un jour ou l'autre.

De quoi a l'air le patriotisme ? En 2014, dans *Nation*, le documentaire que Carl Leblanc lui a consacré, Lucien Bouchard a lu le discours qu'il aurait prononcé si, en 1995, le Québec avait choisi de dire oui à son indépendance. Tout un concentré de patriotisme, qui joue sur le pathos canadien-français :

Une voix nouvelle s'élève ce soir. Celle du peuple du Québec. Il a fallu du temps, il a fallu des hommes et des femmes de labeur et de courage. Que de fleuves et de rivières remontés, de terres explorées, de forêts défrichées, de sols labourés, d'usines érigées, de villes et villages construits, de coups de cœur, d'actes de raison. Que de sacrifices consentis et d'inquiétudes surmontées, que de constance dans ce parcours obstiné.

L'émotion n'est pas garantie, ici. Risible pour plusieurs et archaïque pour d'autres, le patriotisme peut facilement être varlopé. Il peut l'être par la «vraie» politique, qui s'évalue à coups de profits. Même si le patriotisme engendre la fierté, reposant le plus souvent sur des mythes, des à-peu-près historiques et l'impression d'avoir accompli de grandes choses qui ne sont pas vraiment arrivées, les défenseurs des «vraies affaires» ne manqueront pas de le dénigrer. Ils vous rappelleront que la vie ordinaire — vos biens et votre argent — est plus urgente que l'affirmation collective. Et, comme s'il fallait donner raison à ceux qui le vouent aux gémonies, notre patriotisme se limite trop souvent à des pratiques folkloriques qui abusent des références au drapeau québécois. Ça reste au musée et ça tient du pittoresque. Pendant ce temps, les politiciens et les gestionnaires s'occupent des affaires courantes.

Et pourtant. Le troisième président des États-Unis, Thomas Jefferson (1743-1826), écrivait, à la fin de sa vie : «Aime ton prochain comme toi-même, et ton pays plus que toi-même.» Hannah Arendt rappelait que, pour Jefferson, cet amour du pays ne peut être réglé une fois pour toutes ou simplement renouvelé à chaque élection, tous les quatre ans. Il faut sans cesse le conquérir, lui donner l'espace nécessaire. Il faut des lieux où exercer cette liberté publique. Être fier d'agir, de discourir et de faire des plans, fussent-ils mauvais ou peu efficaces : ce n'est que dans ces conditions que le patriotisme n'est plus muséification, mais capacité réelle à mettre le pays sens dessus dessous. Même si, au premier abord, on croirait à un idéalisme un peu simplet. C'est à cette enseigne que j'espère construire mon patriotisme. Mais continuons d'abord à creuser.

Intermède 1
Le patriotisme : définitions *old school*

1. Amour de la patrie.
   Le patriotisme, dans les âmes vulgaires, je ne dis pas dans les grandes âmes, n'est guère que le sentiment de son bienêtre, et la crainte de le voir troubler. (D'Alembert)

2. Se prend quelquefois en mauvaise part. Patriotisme de clocher. Patriotisme provincial.
   M. Turgot appelle cela... du patriotisme d'antichambre. (Grimm)

Paul-Émile Littré, *Dictionnaire de la langue française,* fin du 19ᵉ siècle

Saint-Pierre Nord, 1901-2011

«Souvenirs, souvenirs, maison lente»
Gaston Miron, «Ce monde sans issue»

AVANT MÊME SON PAYS, la première patrie d'un homme ou d'une femme, ce sont sans doute les lieux de son enfance, comme la maison familiale, l'école, les champs ou les ruelles. Le sociologue Fernand Dumont disait que ces lieux ont la particularité d'être en «retrait de l'histoire», jamais chamboulés—croit-on à tort—par les évènements de tous ordres qui frappent, inexorablement, nos sociétés.

Pour moi, ce lieu de l'enfance est la ville de Saint-Constant. Plus précisément encore, la route 209. Celle-ci relie la route 132, près du fleuve Saint-Laurent, à l'État de New York, tout près de la ville de Franklin. Au 19ᵉ siècle, le chemin était connu sous le nom de Black Cattle Road. Des trafiquants américains y avaient conduit leur bétail, disait-on, pour nourrir les soldats anglais pendant la guerre de 1812.

À la hauteur de Saint-Constant, la 209 se nomme rue Saint-Pierre. Elle traverse le cœur historique de la ville. Quelques kilomètres après l'ancien noyau paroissial, un embranchement permet d'emprunter une autre route, parallèle : le rang Saint-Pierre Nord, que mon grand-père appelait «le rang des Crevés». Une toponymie révélatrice : il y a là une rivière polluée et des maisons à la façade décatie.

Au numéro 570 de ce rang, il y a la maison familiale des Labelle. La demeure, très pauvre, aurait été construite vers 1840. Précisions notariales : mon arrière-arrière-grand-père Rodrigue Labelle l'a achetée, ainsi que les terres environnantes, le 9 septembre 1901. Il a cédé la terre à mon arrière-grand-père Victorin, le 14 octobre 1914. Celui-ci l'a vendue à mon grand-père Jimmy, le 8 septembre 1961, jour de son 35e anniversaire. Ce dernier a entièrement rénové la maison dans l'esprit des années 1960, en la recouvrant de briques et en relevant le sous-sol de quelques pieds. Les planchers de pruche ont été recouverts de linoléum et de tapis.

Après la donation et jusqu'à sa mort, Rodrigue habitait chez son fils Victorin. Après la vente et jusqu'à sa mort, Victorin habitait chez Jimmy. Jimmy est décédé à l'hôpital. Personne n'a voulu reprendre la maison. On l'a donc vendue. Il aurait été difficile de faire autrement. Heureusement, les nouveaux acheteurs avaient tout plein de projets pour rendre hommage aux Labelle qui vécurent là pendant 110 ans. Trois ans après la vente, les acheteurs ont (pas de farce) participé à une émission de Canal Vie : *J'ai raté mes rénos.*

Je rêve souvent que je retourne dans la maison et que les rénovations sont mineures — et non un échec lamentable, masqué maladroitement par du *duct tape.* Que l'on sent encore l'odeur de la cigarette qui a à peu près tout jauni. Que les propriétaires ne sont jamais là et qu'on y entre comme on veut. Hier, j'ai rêvé que j'allais y chercher un bout de tuyau, allez savoir pourquoi.

Bref, on a tort de croire que le pays de notre enfance est éternel, qu'il est à l'abri de l'Histoire. C'est vrai pour un individu comme pour un peuple : rien de ce que les Québécois tiennent pour acquis, ce dont ils sont fiers, ce dont ils se glorifient, ne survit systématiquement au passage du temps. Même le berceau de la rébellion de 1837, la vallée du Richelieu, a failli y goûter à cause des gaz de schiste qu'on voulait extraire de son sol. Nos terres sont toujours plus à vendre que l'on croit. Aimer sa patrie plus que soi-même, ce devrait être, aussi, sentir le sol nous glisser sous les pieds.

À Saint-Constant, il y a du vent—vertu des terres plates. Depuis quelques années, tout plein d'éoliennes ont été installées sur le rang Saint-Pierre Nord. Du bruit et des champs lézardés transforment singulièrement cette campagne sans charme, à laquelle j'étais pourtant si attaché.

On a bien fait de vendre la maison, finalement. Mais ça ne m'empêche pas d'y rêver, chaque semaine.

Le Mackinaw de Jimmy Labelle

DANS LE QUOTIDIEN *Le Soleil* de Québec, on annonçait récemment le retour en force du motif Buffalo (les carreaux noirs et rouges). Cela n'a rien pour me surprendre. À l'université où j'enseigne, on vend des sacs d'école et des couvertures à carreaux. Dans un grand magasin, on vend des mouchoirs de poche à carreaux, des cravates à carreaux, des chandails à carreaux, des bas à carreaux, des coussins à carreaux, des sous-vêtements à carreaux. C'est l'heure du *lumbersexual*: bottes lourdes, barbes longues, bas de laine, froc de chasse. Ce serait à l'image du chanteur Paul Piché en 1977 si ce n'était pas ironique et au deuxième — voire au *troisième* — degré. Bizarrement, comme si j'avais prévu le coup, je porte depuis quatre ans la veste Mackinaw de mon grand-père Jimmy. Mon originalité est compromise.

À l'époque, quand j'ai décidé de porter cette veste sur la promenade Masson à Montréal, il s'agissait pour moi de reproduire les gestes de mon grand-père, lesquels n'avaient rien d'ironique et ne se situaient nulle part ailleurs qu'au premier degré. Pas de charge symbolique, par exemple, que les littéraires de mon acabit pourraient y accorder. Après tout, la veste Mackinaw est un des symboles, dans la littérature québécoise, de la liberté du coureur des bois, de l'homme de chantier, du chasseur, insoumis et affranchi. Ce n'est pas un hasard si le Survenant, dans le

roman de Germaine Guèvremont, en porte une. Il y a aussi ces vers d'Alfred DesRochers :

> Le sac au dos, vêtus d'un rouge Mackinaw,
> Le jarret musculeux étranglé dans la botte,
> Les *shantymen* partant s'offrent une ribote
> Avant d'aller passer l'hiver à Malvina.

D'où vient cette veste ? Ma collègue de l'Université Laval, l'historienne Jocelyne Mathieu, m'a expliqué que le Mackinaw avait beaucoup voyagé entre les États-Unis et le Canada, passant des bucherons aux chasseurs, et qu'il avait peut-être été inspiré par les Écossais et les Irlandais, à cause du tartan. Le rouge et le noir sont des couleurs idéales pour les activités extérieures comme la chasse — il est toujours bon de ne pas se faire tirer dessus. Aussi, les carreaux sont faciles à tisser par un croisement de base.

Pourquoi diable porter une veste de chasseur à Montréal ou à Québec ? On n'y chasse plus beaucoup. Prenons acte de ces quelques faits : je ne suis pas mon grand-père. Je ne suis pas plus un chasseur, comme le sont mes cousins, par exemple. Ceux-ci ont d'ailleurs repris les fusils de mon grand-père. Mais ils n'ont pas pris sa veste. Toute la symbolique que j'accorde à ce vêtement, toute la liberté que j'y vois, sur quoi reposent-elles, au juste ?

Richard Hoggart, l'une des grandes figures des études culturelles en Angleterre, écrivait dans son classique *The Uses of Literacy* (1957) : « Il ne fait aucun doute que la plupart de ces mythes littéraires procèdent d'un vif sentiment d'admiration pour les qualités potentielles des classes populaires en même temps que d'une pitié sincère pour leur condition. » Mon amour serait-il un amour du pauvre ? Une façon, par trop facile, d'accepter l'héritage complexe de mes ancêtres cultivateurs ? Faite d'objets qui ne veulent rien dire, sinon dans mon imaginaire d'intellectuel, cette image de l'héritage permet peut-être d'éviter de réfléchir à ce qu'il représente réellement. Par exemple, que c'est avec un fusil qu'on est un chasseur, et non avec une veste, qui donne seulement l'impression de ressembler à un chasseur.

Il en va de même de notre patriotisme. Un seul exemple, pas si lointain. En mars 2007, ça a été la panique au Bas-Canada: des musulmans, venus festoyer dans une cabane à sucre de Mont-Saint-Grégoire, ont fait retirer le lard de la soupe aux pois et ont prié sur un plancher de danse. Nos plus ardents symboles laurentiens étaient ainsi mis en péril. Les médias se sont emparés de l'affaire, relançant à n'en plus finir la soi-disant crise des accommodements raisonnables. Évidemment, l'histoire avait été complètement déformée—il n'y avait eu aucune demande du groupe de musulmans. Mais, devant une telle panique enflammée (pour rien, dans le beurre), face à la menace contre la patrie (incarnée ici par la cabane à sucre), Gérard Bouchard et Charles Taylor ont cru bon de préciser, dans leur rapport de 2008, qu'il y avait peut-être une tâche plus importante, là, cachée derrière la peur de voir disparaitre un symbole faussement en péril: «Notre société doit lutter contre le sous-emploi, la pauvreté, les inégalités, les conditions de vie inadmissibles, les diverses formes de discrimination.»

C'est un beau programme, toujours à réaliser, me semble-t-il. Le patriotisme peut être un rideau particulièrement opaque.

Réflexions d'un lendemain d'élections : Gérald Godin ne m'a pas sauvé la vie

L'ÉCOLE NATIONALE D'AÉROTECHNIQUE est un campus du cégep Édouard-Montpetit, où j'ai été professeur de littérature pendant trois ans. L'endroit est situé à Saint-Hubert, sur la Rive-Sud de Montréal, tout près du chemin de la Savane, que les premiers colons nommèrent ainsi à cause de son aspect marécageux. Ce chemin et ses alentours forment une sorte de non-lieu paradoxalement chargé d'histoire : on y trouve quelques maisons de ferme en très mauvais état (ça rappelle le rang des Crevés, à Saint-Constant); des bâtiments militaires dont plusieurs sont aujourd'hui désaffectés; des studios de télévision (on y tourne l'émission populaire *La Voix*); une croix de chemin; une maison en pierre cernée par les entreprises aéronautiques; des maisons mobiles mal cordées; des résidences étudiantes; des pancartes électorales de Martine Ouellet abandonnées sur leurs poteaux; une rue nommée Bachand, dont l'ancien nom — Armstrong — rappelait trop crument le fait que le ministre Pierre Laporte y a été détenu avant d'être retrouvé mort, dans un coffre de voiture, à cinq minutes de là. Au loin, on voit l'église de Saint-Hubert, construite entre 1858 et 1862 selon les plans du prolifique architecte Victor Bourgeau.

Il y aurait beaucoup à dire de ce chemin de la Savane, dont certains tronçons rappellent les dessins du terroir réalisés par l'illustrateur Edmond-Joseph Massicotte (1875-1929), tandis que d'autres évoquent l'Union soviétique industrielle. Mais je n'ai

noté qu'une seule chose en l'empruntant le 8 avril 2014, au lendemain des élections ramenant les libéraux au pouvoir après une éclipse péquiste de trois semaines ou d'un an et demi, je ne sais plus. Ce jour où le Québec est revenu pour longtemps dans le giron libéral (ce qui n'est pas nécessairement pire que celui du PQ de la Charte des valeurs), j'ai remarqué que le profond fossé qui longe le chemin de la Savane avait des allures de rivière agitée. Le débit était rapide et ça pouvait déborder à tout moment. Deux canards essayaient, pourtant, de remonter le courant. Quelle idée ! Ont-ils réussi ? J'ai continué à marcher, conscient du défi.

Juste avant d'arriver à l'École, je me suis dit qu'on a beau aimer un pays, en être fier, tout faire pour lui, cela ne l'empêche pas de ne pas naitre, comme le disait Gaston Miron. Ça fatigue celui qui aime, par contre. Un peu comme remonter le courant pour rien.

Une fois à l'intérieur du bâtiment, je me suis souvenu des premiers vers de « Re-né » par Gérald Godin. On aurait dit qu'ils avaient été écrits pour cette journée du 8 avril 2014 :

Il y en a qui sont nés
pour ne jamais sortir du ventre de leur mère
ou de leurs certitudes

Jean Moulin : un bon exemple de patriotisme

SORTONS, POUR UN INSTANT, DE LA VALLÉE LAURENTIENNE.

Renaud l'a chanté dans l'«Hexagone»: pendant l'occupation allemande de la France, il n'y a pas eu beaucoup de Jean Moulin. Né en 1899, plus jeune préfet de France pendant l'entre-deux-guerres, évincé de son poste, il a rejoint la France libre, à Londres. Le général de Gaulle lui a alors confié la tâche d'unifier les forces de la résistance en France, où il a été parachuté. Il a été fait prisonnier puis a été torturé. Il est mort durant son transfert en Allemagne, en 1943.

La lecture de *Premier combat* (1947), que Moulin a écrit au printemps 1941, est saisissante. Un an après les évènements, il y relate, au jour le jour, heure par heure, la débâcle française à Chartres, en juin 1940. On assiste même à l'arrivée des Allemands, qui torturent Moulin afin qu'il signe un faux document attestant que des soldats français d'origine africaine ont commis des viols et des meurtres dans sa région. Ce que le jeune préfet ne fera pas, bien sûr. On le libèrera finalement, comme si rien ne s'était passé. Ce n'est que plus tard que Jean Moulin deviendra «Max», le grand résistant français.

Dans les premières pages de *Premier combat*, on découvre tous les efforts déployés par Moulin afin d'organiser un semblant de vie quotidienne à Chartres, tandis qu'un nombre toujours plus grand de réfugiés affluent vers cette ville et que ses propres habitants la fuient—ils ne sont plus que 700 ou 800 sur les 23 000 originels. Voilà qui n'est pas sans rappeler des situations de 2015 ou de 2016.

Au matin du 15 juin 1940, Moulin constate : «Tout un édifice social à reconstruire dans des conditions matérielles effroyables, sous les bombardements, alors qu'un quartier de la ville est en flammes, sans eau, sans gaz, sans électricité, sans téléphone... Mais *il le faut,* pour opposer aux Allemands, lors de leur arrivée, une armature sociale et morale digne de ce pays.» Certes, un an après les faits, Moulin peut bien dire ce qu'il veut. Mais quand même... Au moment où tout est perdu, où il sait bien que les Allemands foncent sur Chartres (ils seront là dans la nuit du 16 au 17 juin), où il voit des Français qui s'entraident ou qui pillent les commerces, Moulin veut que la maison soit en ordre. On n'accueille pas l'ennemi autrement. Perdre la bataille, mais pas l'honneur de la France. L'ordre moral survivra. Et la guerre finira bien par finir.

Au fond, la «leçon» de Moulin est toute simple : la succession d'échecs, la défaite imminente, tout ça ne devrait pas nous prémunir contre l'amour du pays. Au contraire. Mourir en beauté peut être le prélude d'une nouvelle histoire.

Retournons dans la vallée laurentienne.

De bien belles histoires

Il y a quelques années, mon ami Yvon Rivard se question-
nait sérieusement sur les motifs de Radio-Canada : à peu près
tous les épisodes du téléroman *Le Survenant* (inspiré du roman
de Germaine Guèvremont) avaient été détruits, tandis qu'on se
farcissait encore les 18 653 épisodes (j'exagère à peine) des *Belles
histoires des pays d'en haut* de Claude-Henri Grignon, diffusés ori-
ginellement entre 1956 et 1970, mais repris sans cesse depuis. On
se paye même, ces jours-ci, le luxe d'une nouvelle version, soi-
disant « sans censure ».

Ce sont là deux univers complètement différents : dans *Les
belles histoires,* on retrouve le petit Canada français tranquille,
celui de Sainte-Adèle en 1890, stable, sans risques (malgré la
colonisation, jamais bien méchante), content de lui-même ; dans
Le Survenant, le personnage principal est toujours sur le bord de
sacrer son camp du Chenal-du-Moine de 1910, d'aller voir ailleurs s'il y est. Bref, dans ce pays où rien ne doit changer, pour
reprendre les voix dans la tête de Maria Chapdelaine, on a choisi
de conserver, fidèlement, les bobines du premier téléroman. On
a évidemment mis la hache dans celles du second.

Malgré ses défauts, le jeu inégal des acteurs, les décors de
carton-pâte, je suis très attaché aux *Belles histoires des pays d'en
haut.* Que cette œuvre soit celle d'un vieux grognon qui considé-
rait René Lévesque comme un communiste (si au moins il avait
eu raison) ne me dérange guère.

À deux moments bien précis de ma vie, j'ai beaucoup visionné les épisodes de ce téléroman. Le premier, c'est lorsque j'ai été hospitalisé pour un cancer du système lymphatique, en 1995. L'Hôpital de Montréal pour enfants — j'avais 13 ans — me fournissait, de temps à autre, un magnétoscope pour écouter mes cassettes des *Belles histoires*. Il m'apparait aujourd'hui que j'avais besoin de la stabilité d'un passé calme, doucereux, sans danger. Et ça me rattachait, du même souffle, à mon grand-père Labelle, qui écoutait religieusement les épisodes à Radio-Canada. L'amour de cette patrie canadienne-française, prévisible et immuable comme l'enfance d'avant la maladie, était un viatique au cœur du pavillon des cancéreux.

Deuxième moment: quand j'ai déménagé à Montréal, en 2005. L'hiver, après avoir écouté des reprises des *Belles histoires* et avant de me mettre au lit, je m'assurais que la porte arrière était correctement barrée. Le vent du nord sifflait parce que le calfeutrage ne valait rien, dans cet appartement de l'avenue Casgrain, dans la Petite-Italie. J'avais une impression ridicule, mais qui avait le mérite de me rasséréner: celle d'être une sorte de colonisateur, d'homme d'antan, qui fait le tour de la maison avant de monter se coucher. Et je singeais du même coup le geste de mon grand-père qui, lui, avait toutes les raisons de vérifier si la porte de sa maison était bien fermée. Le vent balayait d'énormes bancs de neige sur la maison. Rien à voir avec ma ruelle. *Les belles histoires des pays d'en haut* avaient quelque chose du liant intergénérationnel. Fred Pellerin disait à peu près la même chose. Nous sommes sans doute nombreux dans cette situation.

On peut donc se demander ce qui se serait passé si *Le Survenant* était devenu, au lieu des *Belles histoires*, ce téléroman rebondissant à chaque saison télévisuelle québécoise. Si c'était lui, plutôt que l'autre, qui avait duré 14 ans? Qui était encore diffusé, les après-midis, à Radio-Canada? Si ça avait été le Chenal-du-Moine plutôt que Sainte-Adèle? Le fleuve et les grands chemins plutôt que les «vieilles montagnes râpées du nord» (Miron)? Le rapport à la patrie québécoise aurait-il été différent pour beaucoup de mes concitoyens?

En tout cas, si ce téléroman infatigable avait été *Le Survenant* plutôt que *Les belles histoires*, peut-être n'aurais-je pas vérifié, chaque soir, que ma porte arrière était bien verrouillée. Risquer quelque chose plutôt que de dormir sur mes deux oreilles. C'est un truisme, je le sais, mais il est vrai que nos choix télévisuels reflètent qui nous sommes.

Le meuble à décaper

En 1976, à propos de l'ethnologue Robert-Lionel Séguin, Gaston Miron disait ceci : « Comme on enlève les couches successives de peinture qui aliènent le matériau naturel d'un meuble, il nous a montré et tendu un visage décapé du passé et des ancêtres, que nous avons d'abord regardé avec étonnement et pudeur, et commencé de récupérer et d'aimer dans les années 1960. » J'ai toujours trouvé la comparaison particulièrement juste. Elle résume parfaitement l'esprit d'une époque, tandis qu'on courait les campagnes à la recherche d'un rouet, d'un canard de bois, d'une armoire à pointes de diamant. Il s'agissait ensuite de décaper l'objet pour en retrouver le « matériau naturel ». Enfin, le Québec retrouvait son authenticité d'antan.

Illusion, bien sûr. Qu'est-ce que l'origine ? Qu'est-ce que le naturel ? À ce propos, il y a quelques années, une réflexion de Pierre Nepveu m'a frappé. Dans son essai « Retour à Mirabel ou l'émotion du proche », il rappelle que lors de l'expropriation des citoyens (rendue nécessaire par la construction de l'aéroport), on a tout de même pris la peine de déplacer des maisons anciennes. Intention louable, qui est sans doute liée à ce souci patrimonial qui s'est mis en place, progressivement, au fil des années 1960 et surtout 70. Les autorités sont même allées plus loin : elles ont voulu leur redonner leur aspect original, puisqu'on y avait apporté trop de changements depuis leur construction. Fantasme du commencement, comme s'il existait là une époque parfaite, sans faille, analogue, peut-être, au petit monde étanche des *Belles histoires des pays d'en haut*. Comme si les couches de peinture successives n'avaient été qu'une série d'erreurs.

Quand on pense au patriotisme, ou du moins à un certain amour de la patrie, on a l'impression d'un sentiment qui veut tout râper pour en arriver à ce «temps zéro». Sur la route, il lui faut commémorer, certes, rappeler la succession d'échecs comme autant de couches à enlever pour retrouver le vrai du vrai. Alors, oui, les plaines d'Abraham en 1759, les rébellions de 1837 et de 1838, la pendaison de Louis Riel en 1885, le règlement XVII en Ontario de 1912, la conscription de 1917, le référendum de 1980, le but volé d'Alain Côté en 1987, le référendum de 1995, etc. Avant, par contre, c'était surement parfait.

Lorsque nous avons vidé la maison de mes grands-parents Labelle, il ne restait pas vraiment d'antiquités. Un méchant brocanteur américain avait tout pris ce qu'il y avait à prendre, au début des années 1960. Il ne restait plus qu'une coiffeuse, datant probablement des années 1940. Le meuble était d'une qualité proportionnelle aux revenus d'une famille dont le chef était cultivateur le jour et journalier la nuit.

J'ai apporté la coiffeuse en question dans mon logement du Vieux-Rosemont, à Montréal. Voilà un quartier qui m'adonne : secteur ouvrier du début du siècle, relativement à l'aise pendant les années 1970, ne payant pas de mine dans les années 1990, suivant ensuite le modèle du Plateau voisin avec 15 ans de retard. Depuis, se côtoient, de la 1re Avenue au boulevard Saint-Michel, les BMW et les Chevrolet Cavalier. Mixité sociale de l'enfer. Nous y sommes d'ailleurs une poignée d'universitaires à avoir l'impression de nous salir les mains de cambouis parce que nous faisons nos courses au Provigo des anciennes *shops* Angus. On en connait un bout sur l'authenticité.

Le meuble, disais-je. Je l'ai décapé : ma grand-mère Fleurette avait tendance à tout peinturer en beige, couleur devenue depuis jaune jauni. Des couches successives enlevées pour retrouver le « visage décapé du passé et des ancêtres ». Après des heures de travail dans mon hangar, là où je me sens intellectuel organique (sans trop me soucier de ce que voulait dire Gramsci), je suis arrivé au bois. Étrange noyer, fort irrégulier, presque humain.

Explication simple qui me vient de ma mère, à qui j'ai avoué ma surprise : ma grand-mère aimait bien donner un faux fini bois à ses meubles. Elle avait imité le bois de noyer avec une éponge et de la teinture. Ça m'a déçu, sur le coup.

Laurent-Olivier David
au sous-sol

J'AI ÉVOQUÉ, en introduction, ma lecture des *Patriotes* de Laurent-Olivier David. Retrouvé dans le sous-sol de mon grand-père Denis Livernois, ce livre a été au cœur de mon éveil historique. Je ne suis pas le seul, d'ailleurs. Pierre Falardeau en a fait un film : « J'avais quinze ans. Chez mes parents, à Châteauguay, il y avait quatre ou cinq livres, pas plus. Dans le tas, *Les Patriotes* de David. Je découvrais un trésor. »

Je ne me rappelle pas bien comment j'ai lu ce livre — j'avais dix ans —, mais j'ai sans doute compris l'essentiel : il y avait eu des patriotes au Québec qui avaient tenté de rosser des Anglais. Ça n'avait pas fonctionné. Fin de l'histoire. Dommage. À nous, jeunes gens, de continuer le combat. En lutte, mettons.

Après des années à ne pas trop y penser, j'ai eu, pendant mes études de doctorat, quelques compléments d'information sur l'ouvrage de David. Ceux que le jeune patriote de 1993 ne pouvait avoir. La notice du *Dictionnaire biographique du Canada* décrit bien le personnage du libéral modéré, retournant aux patriotes comme on retourne aux champs. Parce qu'il le fallait, en somme.

Professeur d'université — j'ai grandi, comme tout le monde —, je travaille depuis quelques années sur la représentation des rébellions dans la littérature québécoise. J'y ai consacré deux essais, dont un que j'ai écrit avec mon ami Yvan Lamonde. Ce n'est sans doute pas un hasard : ma première « grammaire du cœur », pour emprunter l'expression de l'auteur Jacques Brault, a été le livre de

David. Je connais à peu près toutes les monographies écrites sur les rébellions depuis le 19e siècle. Et pourtant, je ne relis jamais celle de Laurent-Olivier David. Et ce n'est pas parce que j'en garde un souvenir parfait : à vrai dire, je n'ai absolument rien retenu du contenu du bouquin, mis à part la biographie du patriote Joseph-Narcisse Cardinal. Je reparlerai de ce personnage, plus loin.

Qu'est-ce qui reste vraiment de ma lecture, 25 ans après ? Déjà, en revoyant l'épigraphe de l'édition de 1937, je suis inquiet : « Je suis heureux de voir que nous devons à cette rébellion les bienfaits d'une constitution semblable à celle de la mère patrie. » Ce sont les mots de Benjamin Holmes. Qui est-il ? Le *Dictionnaire biographique du Canada* est toujours là pour nous : député de Montréal en 1849, « en sa qualité de lieutenant-colonel de la Montreal Light Infantry, [il] participa activement à la répression de la rébellion, ce qui fit monter de beaucoup sa cote de popularité au sein de la communauté anglophone de Montréal ».

Il y a quelque chose de profondément étrange dans cette idée de placer une citation d'un ennemi de la rébellion en tête d'un livre prorébellion. Exemple parfait du patriotisme québécois dans toute son ambigüité, comme s'il était incapable d'aller au bout de lui-même. Un patriotisme qui n'est pas des plus confiants, dans la mesure où il prend la peine de citer ses ennemis pour ne pas effaroucher qui que ce soit.

Il va sans dire que je conserve ce livre, mon viatique, dans un petit coffre-fort, sous mon bureau. Au cas où il faudrait vraiment que je le relise. Mais disons que pour l'heure, je n'ai pas tout à fait le gout.

Orphée ne regarde pas du bon côté

En relisant mes « documents » généalogiques, ceux qui ont plus de 20 ans et qui remontent à mon adhésion à la Société généalogique canadienne-française, je retrouve cette feuille volante :

30 octobre 1995
Documents à vérifier aux bibliothèques :
Labelle: ~~Dictionnaire Tanguay~~
Dictionnaire Jetté
Olivier Charbonneau dans «Nos ancêtres»
Livre à Jean-Claude
Vie libertine en Nouvelle-France
Livernois: " " "
" " "

Livre familial
3,4 feuilles
Tante Yvette

Je me souviens bien de ce que ces hiéroglyphes veulent dire. À quoi ils réfèrent. À quelles recherches du passé je devais m'astreindre. Je ne me souviens pas bien, par contre, de ce que je faisais cette journée-là. Parce que cette journée-là, les Québécois décidaient de l'avenir de leur nation pour la deuxième fois de leur histoire. Et le Québec est alors demeuré, vous le savez, une province.

Cette journée-là, je prévoyais les recherches à faire aux archives. Je ne semblais pas nerveux de ce que les Québécois allaient décider. Tellement pas nerveux que je n'ai aucun souvenir du référendum de 1995. *Blackout*. Peut-être parce que j'avais le cancer. Ou peut-être parce que mon patriotisme avait quelque chose du regard d'Orphée lors de sa remontée des Enfers. Regarder derrière de peur de perdre ce que l'on perdra, de toute façon. Regarder derrière parce que devant, j'allais mourir, peut-être. Maintenant que je suis guéri, mon inquiétude a de nouveaux objets que vous commencez à connaitre.

Intermède 3

Le patriotisme : définition ancienne qui est peut-être aussi moderne

S. m. (Gouvernement) C'est ainsi qu'on appelle en un seul mot l'amour de la patrie.

Rome, Athènes et Lacédémone durent leur existence et leur gloire au patriotisme, toujours fondé sur de grands principes, et soutenu par de grandes vertus: aussi est-ce à ce feu sacré qu'est attachée la conservation des empires; mais le patriotisme le plus parfait est celui qu'on possède quand on est si bien rempli des droits du genre humain, qu'on les respecte vis-à-vis de tous les peuples du monde. L'auteur de *L'esprit des Lois* était pénétré des sentiments de ce patriotisme universel. Il avait puisé ces sentiments dans son cœur, et les avait trouvés établis dans une ile voisine, où l'on en suit la pratique dans tous les pays de sa domination; non pas seulement au milieu de la paix, mais après le sort heureux des victoires et des conquêtes.

Louis de Jaucourt, «Patriotisme», dans Diderot et D'Alembert, *Encyclopédie ou Dictionnaire raisonné des sciences, des arts et des métiers,* 1765

La Saint-Jean-Baptiste 2015 et « huit millions d'étincelles », dont certaines s'éteignent plus vite que d'autres

«Le gouvernement colonial ne veut rien pour le pays. De petites intrigues absorbent toutes ses facultés, flétrissent, étouffent tout ce qui a des talents supérieurs, des lumières étendues, un patriotisme énergique.»
Louis-Joseph Papineau à Julie Bruneau-Papineau, 1845

QUAND ON VEUT CONNAITRE l'état du Québec à un moment précis de son histoire, il peut être opportun de s'attacher à ses célébrations de la Saint-Jean-Baptiste. En 1968, dans *Nègres blancs d'Amérique*, Pierre Vallières s'attaquait au kitch de l'évènement et proposait de tuer (symboliquement) saint Jean-Baptiste, d'«en finir avec le carton-pâte des traditions avec lequel on a voulu mythifier notre esclavage». Après l'échec du référendum du 20 mai 1980, l'écrivain Jean Larose voyait dans les festivités du 24 juin 1981 un retour du refoulé, du réconfortant passé canadien-français. Neuf ans plus tard, les célébrations ont plutôt témoigné de l'ampleur de la vague nationaliste à la suite de l'échec de l'accord du lac Meech, qui aurait pu ramener le Québec dans le giron de la constitution. Ç'a été le retour du défilé, le discours patriotique de Jean Duceppe, rappelant que l'avenir du Québec ne se jouerait plus jamais à Terre-Neuve ou au Manitoba, là où l'on avait refusé de reconnaitre le Québec comme société distincte.

La pente a ensuite été douce jusqu'à aujourd'hui. Vers le bas, on s'entend. Depuis quelques années, le carton-pâte a même fait son retour : 36 statues, des «géants» comme René Lévesque et Louis-Joseph Papineau, ont défilé dans la rue Sherbrooke jusqu'en 2013. Cette année-là, les géants ont été laissés dans un coin. On les a remplacés par trois marionnettes, sorte d'hommage, sans doute, à la politique québécoise actuelle.

En 2015, j'ai cherché à conforter mon sentiment patriotique. Et j'ai choisi le 24 juin pour ce faire. J'ai assisté au défilé, qui avait quitté la rue Sherbrooke pour se réfugier dans la rue Saint-Denis. Après la voiture Tesla aux couleurs d'une station de radio de Montréal, le premier char officiel fut un hommage à l'«Hymne au printemps», de Félix Leclerc. Une chanteuse, sorte de Déméter locale, avait été plantée devant du blé en carton pour interpréter la célèbre chanson. Le char, trop large, est resté immobilisé pendant une bonne demi-heure au coin des rues Saint-Denis et Marie-Anne, les estrades officielles bloquant son passage. Cette situation absurde a donné le ton. Étrange cortège, sans véritable substance patriotique. Le défilé aurait tout aussi bien pu être dédié aux radis du Québec—qu'on lançait par ailleurs depuis un char allégorique vantant les vertus de l'agriculture.

* * *

Récemment, Jean-François Nadeau a rappelé dans l'une de ses chroniques du *Devoir* cette autre Saint-Jean-Baptiste, celle de l'année 1969. Un an, donc, après l'édition 1968—aussi connue sous le nom de «lundi de la matraque»—qui a conduit Pierre Bourgault au poste de police 33 et Pierre Elliott Trudeau à la tête du Canada, le lendemain soir. Mais voilà, il faut tout oublier des émeutes, de la répression policière et des revendications des mouvements indépendantistes. Il faut frapper d'amnésie le peuple canadien-français par le kitch; les chars, commandités par des compagnies comme Coca-Cola, Gattuso et Renault, donnent ici à voir un gros œuf (?) représentant la «Terre des Hommes», là des jeunes qui dansent le yéyé escortés par un détachement de figurants déguisés en prêtres (??). Jean-François Nadeau écrit, à propos de ce défilé:

> Le 24 juin 1969, à la télévision de Radio-Canada, Pierre Perrault et Bernard Gosselin s'étaient lancés dans les eaux tourmentées de l'indignation devant un curieux spectacle de dauphins en plastique voguant à Montréal, rue Sherbrooke. Ce jour-là, les deux cinéastes avaient été invités à commenter en direct le défilé de la Saint-Jean-Baptiste, avec son cortège de majorettes, de chars allégoriques, ses hommages aux princes de la bière, aux monarques de l'automobile et aux grands vizirs de la pizza garnie. Le défilé prenait l'allure d'une douloureuse noyade. Ce n'était pas la pluie qui était en cause.
>
> Perrault n'en peut déjà plus lorsqu'une représentation en carton-pâte dédiée à L'Isle-aux-Coudres et surmontée de dauphins bleus apparait au petit écran. Ce dauphin n'existe même pas dans le Saint-Laurent! À L'Isle-aux-Coudres, Gosselin et lui venaient de consacrer de longues heures de tournage aux marsouins que nous nommons maintenant bélougas. «On nous montre un truc qui ne ressemble à rien», dit Bernard Gosselin. Perrault corrige: on montre plutôt aux Québécois, comme d'habitude, ce qui se passe au loin en leur demandant de tromper leur ennui dans la fiction de fausses traces de leur existence.

Bernard Gosselin et Pierre Perrault se feront couper le sifflet, en ondes, par Radio-Canada. Ils l'ont un peu cherché: pendant 15 minutes, ils raillent à peu près tout ce qui se passe devant eux. Perrault semble regarder tout cela de haut, rappelant aux téléspectateurs qu'ils n'ont pas lu le texte d'un célèbre botaniste dans un numéro récent des *Cahiers des Dix,* qu'ils n'ont pas, non plus, écouté sa propre série radiophonique, *J'habite une ville*, parce qu'ils ne syntonisent jamais Radio-Canada. Bernard Gosselin, aussi indigné, est tout de même plus réservé. Ça ne l'empêche pas, en cherchant un équivalent canadien-français à la dinde de l'Action de Grâce, de parler du 24 juin comme d'une sorte de jour de «flânage national». Perrault l'avait dit dès le départ: «On n'est pas là pour faire des compliments!»

Perrault voit passer, sur un char tiré par une Renault (vraisemblablement assemblée à l'usine de Saint-Bruno-de-Montarville), l'un des slogans du gouvernement québécois de l'époque: «Québec sait faire.» Le cinéaste rétorque aussitôt: «Québec *pourrait* faire.» Il rappelle aux spectateurs tous les obstacles de la mise en marché des produits québécois, révèle ce que pourrait être une mise en valeur réelle du «génie québécois». Celle-ci passerait nécessairement, poursuit Perrault, par l'éducation — et non par le seul développement technique. Le cinéaste ne tient sans doute rien pour acquis et sait bien qu'il est beaucoup trop tôt pour crier victoire dans ce domaine, malgré le rapport Parent et le nouveau ministère de l'Éducation, qui a à peine cinq ans. (Aujourd'hui, on peut dire que le temps lui a donné raison, quand on voit comment les débats sur l'accessibilité aux études ont dégénéré depuis une vingtaine d'années, comment le projet collectif de la gratuité scolaire est passé du statut d'objectif à atteindre à celui de la pire des infamies socialistes.)

À un certain moment, celui qui a varlopé tout ce qu'il voyait depuis dix minutes trouve émouvant la vue de ce bout du Québec, rue Sherbrooke. L'amour du pays apparait l'instant d'une pirouette de majorette. Qu'est-ce qui justifie ce soudain attendrissement? Peut-être l'écart entre une certaine pauvreté des moyens — une majorette, un char allégorique mal décoré — et ce que pourrait être le Québec réellement. Cette forme d'amour de la patrie, fragile au possible, repose sur une fierté prospective : Québec *pourrait* faire.

Ce serait là un nouveau patriotisme, qui n'aurait plus rien à voir avec celui qui condamnait déjà les Québécois, en 1969, à être du côté des valétudinaires. Ce patriotisme périmé, c'est bien plutôt celui de la fausse sécurité, celui du Québécois qui croit être déjà arrivé en ville. Ce n'est pas parce que l'on danse le yéyé escorté par un détachement de faux vicaires qu'on est libéré.

Et si le patriotisme qui nous fait si mal, qui nous empêche d'aller plus loin, qui nous enfonce et le pays avec lui, c'était, justement, celui qui cherche la permanence, «un avenir aussi calme que le passé» (Sartre), par le truchement d'une «fiction de fausses traces de [notre] existence» (Nadeau)? Ces fictions, ces fausses traces de notre existence, désamorcent le potentiel contestataire, la charge mobilisatrice du patriotisme. Elles en font au contraire une force d'inertie. Nous nous replions dès lors sur des images d'Épinal réconfortantes, qui nous font croire à un âge d'or, qui nous découragent de nous attaquer à ce qui se passe vraiment, *hic et nunc*. Le pays rêvé, celui d'un passé qu'on connaît finalement mal, n'a pas l'authenticité de celui, bien réel, dans lequel on vit et pour lequel il faut se battre.

On peut, je crois, en arriver à cette proposition : le patriotisme actif devrait être la fierté qui n'arrive jamais à ce qui commence. Un amour du pays à conquérir et non plus à chérir comme un bien acquis. L'amour du pays devrait s'enraciner dans la conscience des défis qui l'attendent. Certes, il est bon de renouer avec le passé, d'en tirer une certaine fierté. Mais à la condition d'en construire une autre, tendue vers l'avant. Le Québec saurait faire ça, aussi.

Voyons comment y arriver, avec toutes les limites de l'essayiste, qui n'est ni sociologue ni politicologue. C'est l'heure d'imaginer un début de patriotisme énergique, comme le disait Louis-Joseph Papineau. Trois propositions à l'horizon.

Partie 2

Reconstruction du patriotisme québécois

«Il va bientôt falloir que j'arrête net de me distraire, et créer.»

Hubert Aquin
Journal, 5 avril 1949

Créer un patriotisme qui s'ancre dans ce que le Québec a été, réellement

«Faites un effort, servez-vous d'vos lunettes
Où donc étais-je en dix-huit-cent-trente-sept?»
Plume Latraverse, «1837»

ON L'AURA CONSTATÉ dans la première partie de ce bouquin: le patriotisme et la fierté peuvent rester à la surface de l'eau, mais l'histoire de ce que nos ancêtres ont été, dans les faits, peut facilement caler. Que sait-on, aujourd'hui, des patriotes de 1837 et de 1838, au-delà d'une douce référence, dans le meilleur des cas, ou d'une belle indifférence, dans le pire des cas? Certes, leur courage, qui alimente tant de discours sincères, a été réel. La communion entre le peuple et ses leaders politiques autour d'enjeux démocratiques a bien eu quelque chose de la «tempête parfaite». À ce titre, il est touchant de lire la description de ces assemblées populaires qui se multiplièrent pendant une bonne partie de l'année 1837. Prenons celle-ci, par exemple, qui s'est déroulée dans ma ville natale de Saint-Constant, le 6 août:

> Assemblée de Laprairie. Ce patriotique comté s'assembla dimanche le 6 courant à Saint-Constant. De bonne heure dans la matinée, les braves habitants de Saint-Rémi, Saint-Philippe, Saint-Isidore, Châteauguay et Laprairie arrivèrent en nombreux cortèges. Un grand nombre alla au-devant des Réformistes de Montréal, qui avaient été spécialement invités à se rendre

à la réunion. M.T.S. Brown arriva le premier, accompagné de M. Pontois, ministre plénipotentiaire et envoyé extraordinaire de France à Washington et de M. de Saligny, secrétaire de la légation. [...] Malgré les menées de quelques ennemis dans le comté pour empêcher les habitants de se rendre à Saint-Constant, et surtout celle d'un certain petit magistrat gosfordien du nom de McDonald qui parcourut, le matin, avec un de ses frères, les différentes côtes de Châteauguay, menaçant, en sa qualité de magistrat, les habitants désireux d'assister à l'assemblée, de les faire emprisonner s'ils y allaient, prenant même leurs noms pour mieux les intimider, il se trouva plus de 2 000 électeurs qui prouvèrent par leurs démonstrations combien ils étaient impatients d'enregistrer l'expression de leur juste indignation contre les mesures arbitraires d'un gouvernement qui leur devait autre chose que l'esclavage dont on les menace.

Même si ce texte est tiré d'un journal propatriote, *La Minerve,* il donne la mesure d'un temps courageux, où les vexations de potentats locaux et les menaces d'une répression n'empêchaient pas les gens de se réunir et de prendre des décisions politiques. Que s'est-il donc passé, dans ma ville natale, entre 1837 et aujourd'hui ? Je suis loin d'être certain que de telles manifestations pourraient se reproduire à Saint-Constant, devenue entretemps une banlieue de niveau intermédiaire. Le courage des Canadiens français appartiendrait-il donc au passé ? Cela pourrait expliquer notre difficulté à créer un patriotisme énergique, prospectif. Devant la grandeur du passé, celui de valeureux combattants qui s'armèrent de fourches pour se défendre contre la plus grande armée du monde, on a rapidement l'air de petites bêtes apeurées.

La plongée dans le passé devient ici essentielle. Pas qu'il faille y retrouver ce qui fera, encore une fois, pleurer Margot. Cherchons des êtres humains plutôt que des titans. Et partons de ce bel exemple de ma jeunesse, dont la biographie est au cœur du livre de Laurent-Olivier David, que j'évoquais au début de ce livre : Joseph-Narcisse Cardinal. Né en 1808 à Saint-Constant, Cardinal est notaire à Châteauguay, la ville voisine. Député pro-Papineau en 1834, il ne participe pourtant pas à la rébellion de 1837. Il se sauve tout de même aux États-Unis, fuyant les humiliations de loyaux locaux, y compris celles, vraisemblablement, du McDonald évoqué plus haut dans l'article de *La Minerve*. Le 24 décembre, il écrit une lettre à son beau-père dans laquelle il dit que son « seul crime fut d'avoir aimé [sa] patrie, de l'avoir désirée belle et heureuse, suivant les inspirations de [sa] conscience et d'avoir travaillé avec des hommes qu['il a] crus et qu['il croit] encore sincères comme [lui], à la rendre telle ». Il s'en prend ensuite à ces « quelques jeunes évaporés » dont les excès ont mis le pays sens dessus dessous.

À son retour dans la région de Châteauguay, en 1838, Cardinal semble avoir changé d'idée : il recrute des Frères chasseurs en vue de la nouvelle insurrection, qui est prévue pour le début novembre. Des patriotes traverseront la frontière depuis les États-Unis, accompagnés de citoyens américains, tandis que d'autres au pays se lèveront, feront prisonniers les loyaux de leur région, avant de prendre des villes comme Laprairie et, pourquoi pas, Montréal. Le jour du soulèvement, conscient qu'une révolution nécessite autre chose que des appelants de bois, Cardinal, avec une troupe de patriotes des environs de Châteauguay, va « emprunter » des armes aux Amérindiens du Sault-Saint-Louis (l'actuelle Kahnawake). Ceux-ci n'apprécient guère la démarche et font prisonniers la bande de joyeux patriotes, qu'ils confient aux autorités coloniales. La justice est expéditive sous la loi martiale : moins de deux mois après les évènements, des douze accusés, deux sont libérés, tandis que les dix autres sont condamnés à mort. Seuls Cardinal et son clerc Duquet sont finalement pendus, le 21 décembre 1838. Ils sont ainsi devenus des héros de la patrie. Lors de soirées où l'on voudra faire vibrer la fibre patriotique, dans la deuxième moitié du 19e siècle, on n'hésitera pas à lire des extraits de la correspondance de Cardinal avec sa femme, échangée quelque temps avant sa mort. Ce ne sont pas les lettres de Chevalier de Lorimier, mais elles sont quand même très touchantes, sans compter que le notaire y fait montre d'une grande foi catholique.

Quand je suis allé lire les retranscriptions judiciaires du procès de Cardinal, à Bibliothèque et Archives nationales du Québec, le 23 décembre 2014, je m'attendais tout naturellement à être fier et à me sentir, du même coup, écrasé par le courage d'hier. En 1837 et en 1838, on affrontait ses geôliers, les autorités coloniales, et même l'Angleterre. On devait être, très certainement, hautain et superbe devant les laquais du système judiciaire britannique, un peu comme Danton se présentant devant les pions du tribunal révolutionnaire français, en 1794: «Je suis Danton; j'ai 35 ans. Ma demeure sera demain le néant; mon nom restera au panthéon de l'histoire.»

Mais non, ça n'a pas été ça. Cardinal et ses amis n'ont rien cassé. Pas de déclarations-chocs. Ils ont même joué selon les règles du colonisateur en se référant aux lois anglaises. Comme l'écrivait Aquin, «en bons colonisés, les Patriotes jouent à l'intérieur des lignes blanches et se comportent, avec une politesse de désespérés, en parfaits *gentlemen*». Malheureusement, celui qui écrit les règles peut aussi les changer au fur et à mesure. Ainsi peut-on pendre vite et bien.

Cardinal n'est pas Danton, pis encore: le notaire demande à la propriétaire de l'auberge où il a son bureau, la veuve Boudrias, de livrer un faux témoignage en sa faveur. Il compte également, pour sa défense, insister sur l'étourderie des patriotes. Il ne reconnait pas sa responsabilité et insiste pour dire qu'il s'est retrouvé à Sault-Saint-Louis, le matin de son arrestation, par... affaires. Ça augure mal pour le héros.

Une fois le verdict de haute trahison tombé, Cardinal essaye encore de se dissocier de ses camarades, dans une lettre envoyée le 16 décembre 1838 à Pierre-Édouard Leclère, le sympathique surintendant de la police. Je me permets de la citer :

> Serait-ce donc parce que j'aurais eu le malheur de recevoir de l'éducation, que je tiendrais une profession honorable, que j'aurais tenu une conduite à me faire aimer et respecter par tous les gens qui furent à portée de me connaitre et même de mes ennemis politiques, que je serais plus exposé à la persécution ? Si c'était, ce serait un grand malheur et qui, certes, n'encouragerait pas les jeunes gens à se distinguer parmi leurs compatriotes. Veuillez donc, Monsieur, puisque vous avez la bonté de vous intéresser pour mes compagnons d'infortune, ne pas m'exclure de votre bienveillance, ni me laisser croire qu'on en veut plus à ma vie qu'à celle des autres, moi qui me sens moins coupable qu'eux.

Étrange désolidarisation du patriote, qui abandonne ses codétenus, son clerc notaire (Duquette), un huissier et peintre (Lepailleur) ainsi qu'un cultivateur (Thibert). Pourquoi, «moins coupable qu'eux»? Qui peut encore le croire, tandis qu'une quinzaine de témoins ont avoué que Cardinal était bel et bien l'un des commandants de l'expédition au Sault-Saint-Louis ? Pourquoi écrire cette lettre à Pierre-Édouard Leclère ? La réponse vient facilement quand on oublie le héros et qu'on pense plutôt au père de famille : il ne veut pas mourir. Bête comme ça.

Les hommes qui ont accompagné Cardinal dans son expédition vers le Sault-Saint-Louis ne sont pas différents. L'un d'eux, que certains—dont un avocat de la défense—tentent peut-être de désigner comme un des chefs, se nomme Joseph Meloche. Dans sa déposition du 5 novembre 1838, ce qu'on appelle un «examen volontaire» (*sic*), ce Meloche dit qu'on lui a commandé de marcher avec les autres, qu'il a cru comprendre que Joseph Duquette (le clerc de Cardinal) était le leader, qu'il n'a pu reconnaitre personne parce qu'il faisait noir et qu'il était «nouvellement établi à Sainte-Marguerite». Il ne sait pas qui a donné l'ordre d'aller au Sault-Saint-Louis : «J'ai été forcé malgré moi de les suivre. Et lorsqu'on m'informa que les sauvages nous demanderaient de nous rendre au village pour prendre des arrangements, j'étais content, car je pensais alors que je pourrais après cela m'en retourner tranquillement chez moi. Je n'ai aucune connaissance du serment que l'on faisait prêter aux habitants.» Ainsi parla mon arrière-arrière-arrière-grand-père. Par chance, Joseph Livernois dit Meloche a été relâché le 24 janvier 1839. Merci, la vie.

Notre récit patriotique est, on l'aura compris, fissuré. Il ne s'agit pas de dénoncer le mensonge qui nous tiendrait lieu d'histoire nationale. Au contraire. Il s'agit de se sortir du complexe d'infériorité qu'on a trop souvent par rapport aux héros. Ils ne sont pas moins lâches et pétris de doutes que nous. En prendre conscience permet de poser les bases d'un patriotisme énergique et prospectif. C'est porter sur l'histoire le regard d'un Orphée qui n'aurait pas laissé Euridyce aux Enfers; mais qui l'aurait saisie fermement pour remonter avec elle, coute que coute, pour voir qui elle est, au juste. Assez de figures spectrales, pour l'heure.

* * *

Dans son recueil d'histoires *Atavismes* (2011), l'écrivain Maxime Raymond Bock met en scène la découverte d'un jeune historien qui comprend que son ancêtre patriote, le valeureux docteur Pothier, héros célébré par des générations de nationalistes, a assassiné un codétenu qui l'avait dénoncé. Ses lettres retrouvées, pathétiques, sont comme l'envers parfait de celles, bien réelles et romantiques au possible, de Chevalier de Lorimier. Malgré la déchéance du héros patriote, son descendant écrit ceci à son directeur de thèse : «Je dois trouver comment rendre justice à la mémoire de mon ancêtre.» Pourquoi lui rendre justice? N'est-il pas au cœur d'un grand mensonge patriotique? Le texte laisse la chose en suspens. Et si, à tout prendre, cette volonté de rendre justice à l'ancêtre menteur s'expliquait par une sorte de libération? Le jeune Pothier se libère d'un poids certain : celui d'être le descendant d'un symbole et non d'un homme, de chair et d'os. Dès lors, on peut reconnaitre le courage sans qu'il nous écrase ou qu'il tétanise celui qui aimerait aller de l'avant, fût-il arrivé *après* le temps des héros.

Certes, il ne faut pas jouer les petits, comme on l'a trop fait après les rébellions de 1837 et 1838. Il ne s'agit pas de choisir les voies d'accotement de l'Histoire. Mais nos ancêtres ne sont pas des mythes. Une fois cela tenu pour acquis, la déception sera moins lourde d'être ce que nous sommes. Comme le disait Nietzsche : «La connaissance du passé, dans tous les temps, n'est souhaitable que lorsqu'elle est au service du passé et du présent, et non point quand elle affaiblit le présent, quand elle déracine les germes vivaces de l'avenir.»

En 1994, on a inauguré le parc Joseph-Narcisse-Cardinal, devant l'hôtel de ville de Saint-Constant. Ce parc est modeste : quelques bancs, une colonne Morris où rien n'est affiché depuis 1994, un petit monument qui a l'air d'une stèle funéraire et des fleurs rendent hommage à l'homme. C'est tout. Mais, quand on y pense, c'est parfait. Vraiment parfait.

Créer un patriotisme qui s'ancre dans ce que le Québec est, réellement

Nous sommes le samedi 19 mars 2016. Je conduis ma voiture, une Jetta 2013, sur le chemin White, à Mansonville.

Qu'est-ce que le Québec, *aujourd'hui?* Un espace où les inégalités augmentent aussi vite que le désabusement envers nos politiciens qui, comme les joueurs des Canadiens de Montréal, sont partis jouer au golf. Un lieu où l'agora n'appartient pas à tout le monde. Des chemins où l'on croise toujours les mêmes personnes. Un *wannabe* pays qui n'est pas capable de créer un récit commun qui a de l'allure. Des communautés culturelles dans les marges.

Mais le Québec est aussi le lieu où nous avons le loisir — et la chance — d'actualiser ceci. La conclusion d'un texte que le sociologue Fernand Dumont a fait paraître dans *Cité libre,* en janvier 1958, dit parfaitement ce que je pense de notre époque :

« Le nationalisme a masqué trop longtemps ici, comme ailleurs, les problèmes posés par l'inégalité sociale pour que, dans ce combat pour une communauté plus profonde, nous ne trouvions pas à la fois des tâches d'hommes et le visage d'une patrie enfin devenue notre contemporaine. »

Pour être à la hauteur de mon temps, pour que ma patrie me soit réellement contemporaine, je roule sur le chemin White. Je m'en vais aux sucres. Est-ce là une façon d'avancer en arrière, comme on dit dans les autobus de la ville de Montréal ?

Non, je ne crois pas.

Créer un patriotisme qui s'ancre dans ce que le Québec pourrait être, réellement

JUSQU'À PRÉSENT, on a évité de se poser la seule question qui a quelque importance : est-ce que ça vaut toujours la peine d'être Québécois ? D'être de braves patriotes ? On a beau dire, on a beau faire, la réponse ne va pas de soi.

La question n'est pas nouvelle, bien sûr. En 1967, Fernand Dumont se la posait déjà : pourquoi cette « curieuse variété de la faune humaine » devrait-elle absolument persévérer dans son être ? Pourquoi être Québécois à tout prix ? De quoi devrait-on être si fiers pour affirmer la nécessité de notre existence en sol d'Amérique ? Dumont ne pouvait identifier ce caractère québécois que par « une pente du cœur », que par un « résidu du sentiment ». Émotions contre rationalité d'État : le contrepoids est peut-être insuffisant devant cet universalisme de bon aloi, alors représenté par Trudeau et *tutti quanti*. Quand on a le monde pour soi, pourquoi faudrait-il s'entourer de clôtures ? Un coup parti, on peut aller plus loin que Trudeau : le Canada ne serait-il pas, dit encore Dumont, une sorte de timidité régionaliste ? Ne faudrait-il pas viser ce que le Chevalier de Jaucourt décrivait, dans l'*Encyclopédie*, comme « le patriotisme le plus parfait », c'est-à-dire « celui qu'on possède quand on est si bien rempli des droits du genre humain, qu'on les respecte vis-à-vis de tous les peuples du monde » ? Un « patriotisme universel », en somme ?

J'ai longtemps cru que c'était un cliché fédéraliste, mais de plus en plus, ça me semble vrai, du moins quand je pose la question à mes étudiants : les frontières n'ont pas vraiment de sens pour eux. Certes, ces mêmes étudiants sont fiers d'être ce qu'ils sont, fiers de leur culture québécoise, aussi, mais ça s'arrête là. Leurs communautés sont éparses et riches. Pourquoi se bâdrer d'un pays infirme ?

Ce n'est pas tant que ces jeunes sont revenus de tout. C'est bien plutôt que le relais patriotique est tombé quelque part. Et on l'a peut-être échappé délibérément. Quand je dis *on*, je pense à tous ces patriotes sincères, issus de ce courant souverainiste dominant que je qualifierais, faute de mieux, de néocanadien-français. Ce courant n'est pas formé que de babyboomers (ce serait trop facile de les stigmatiser), mais bien plutôt de tous ceux qui, au fil des décennies, ont voulu vider l'indépendantisme du projet de société progressiste qu'il portait au début des années 1960; qui ont cru que l'identité canadienne-française d'antan aurait un caractère incantatoire suffisant pour construire le pont d'or vers la souveraineté.

Ce courant néocanadien-français a pris de l'importance lorsque le Parti québécois s'est retrouvé dans le poulailler de l'Assemblée nationale, à la suite de l'élection de 2007. Le statut de deuxième opposition, derrière l'Action démocratique du Québec (ADQ) de Mario Dumont, en a blessé plus d'un. Les tenants du retour du *nous* sont revenus en force, avec l'entrée en scène de Pauline Marois et après des années de nationalisme civique incarné, notamment, par André Boisclair. La quête identitaire, qui n'a pas toujours révélé les plus beaux côtés des souverainistes, aurait pour effet, croyaient-ils, de renouer avec la tradition d'antan et, ainsi, de tendre de nouveau le fil vers la souveraineté. Ça a marché, un peu, avant de se planter lamentablement avec la Charte des valeurs, quelque part en avril 2014. Ce ne sont certainement pas les seuls responsables de cette chute d'intérêt pour la question nationale, mais force est de constater que les tenants de ce courant souverainiste y ont largement contribué. D'autant qu'ils donnent l'impression d'une terre brulée. Ils ont échoué? Ce sera donc la fin du projet souverainiste, point à la ligne. Après eux, le déluge.

Et les jeunes? N'ont-ils pas le droit d'essayer de faire quelque chose? Jacques Beauchemin, l'un des représentants de ce courant, qui a annoncé ne plus vouloir écrire sur la question nationale, déclarait en 2015: «La plupart [de mes étudiants à l'UQAM] disent qu'ils sont souverainistes, mais c'est comme s'ils attendaient qu'on leur dise où cliquer *like* sur Facebook. De là à militer et à s'empêcher de dormir pour le pays… Ce n'est pas une question de vie ou de mort pour eux.» Les jeunes qui s'intéressent au pays—ils sont plus nombreux qu'on le croit—sont (et resteront) longtemps confrontés à ce courant néocanadien-français qui a encore pas mal de poids. À son contact, ils apprendront qu'ils sont arrivés en retard et qu'ils ne seront jamais à la hauteur, occupés qu'ils sont sur Facebook. Et comment peuvent-ils ne pas trembler devant ces patriotes du passé, qui ont eux-mêmes baissé les bras? Ceux-ci, caressant leur passé perdu comme d'autres ont chéri le drapeau de Carillon, empêchent la transmission d'une idée qui demeure captive d'un passé qui n'existe même pas.

On devrait rappeler aux spectateurs du déluge ces mots qu'a prononcés l'historien français Patrick Boucheron lors de sa leçon inaugurale au Collège de France, en décembre 2015: «Pourquoi se donner la peine d'enseigner sinon, précisément, pour convaincre les plus jeunes qu'ils n'arrivent jamais trop tard?» L'enseignement est semblable au relais patriotique.

* * *

Si le pays en vaut la peine, ce sera comme point de fuite, riche, nécessaire à tous ceux qui viendront après nous. L'amour du pays, bien ancré dans un passé qui ne contraint pas, est encore et sera toujours à conquérir. Toujours arriver à ce qui commence. Je me permets de citer ici ce passage d'un texte de Dumont, tiré de *La vigile du Québec* en 1971 :

> On suppose, chez l'individu, une faculté de choisir ses valeurs qui n'existe pas si elle ne peut s'appuyer sur un certain consensus avec autrui. Ce consensus est *archaïque* et en un double sens : il fait appel à des solidarités lentement créées par l'histoire ; il s'enracine dans les tréfonds de la conscience où jouent les valeurs et les symboles essentiels. Archaïsme et progressisme : c'est la jonction du poème et de la technique, de l'amour et du budget familial, des valeurs et de la planification. Et tout aussi bien du sentiment national et de la politique.

Tout y est. Archaïsme et progressisme : le patriotisme pourrait être irrigué par une connaissance sincère de ce que nous avons été comme peuple ; le patriotisme ne peut être efficace que s'il flèche l'itinéraire vers une plus grande justice sociale. Dumont parlait, en son temps, d'une sorte de socialisme d'ici : il proposait en ce sens la planification économique, la transformation des structures sociales, le mouvement coopératif, l'idée de « donner corps aux besoins collectifs » grâce à des réformes lancées par l'État, la création de nouvelles élites, « susceptibles de s'enraciner dans les attitudes, de s'alimenter à ce qu'il y avait de meilleur dans nos traditions idéologiques, de rejoindre aussi des formes d'organisation sociale déjà à l'œuvre dans notre milieu ». Si ces chantiers sont dépassés, du moins dans leur expression, leur exigence demeure. À nous de trouver comment faire.

Disons-le candidement : je n'ai pas de cahier de devis à proposer. Mais il y a bien ce point de départ : créer ou réinvestir tous ces lieux de solidarité où l'on peut éprouver ce que veut dire *être fier*, où l'on peut faire des plans pour soi-même et pour sa collectivité. L'enjeu n'est pas nouveau, il plonge même dans les débuts de la démocratie américaine. Comme le rappelle Hannah Arendt, Thomas Jefferson avait bien vu ce péril démocratique, au tout début du 19ᵉ siècle : « Le danger résid[e] dans le fait d'avoir donné tout pouvoir au peuple dans sa capacité privée, alors qu'il manqu[e] d'un espace consacré pour exercer ses fonctions de citoyen. » Ça vous sonne quelques cloches ? Ça a, en tout cas, quelque chose de pascalien : si ça va bien dans nos maisons ou chalets respectifs, c'est peut-être moins clair dès qu'on passe le seuil de sa porte et qu'on se retrouve dans l'agora.

Ces lieux d'invention du pays, de solidarité, sont nombreux, de la place publique à la réunion d'amis. Pour moi, et je suis conscient que c'est là une expérience bien personnelle, il s'agit de la cabane à sucre de mes amis Maëcha et Simon, à Mansonville, en Estrie. Ça n'a rien du paradis perdu de l'enfance, de la nostalgie d'un passé plus grand que notre présent ou d'un musée des traditions d'antan. On n'y vit pas, non plus, à l'extérieur de l'Histoire. Habitant et travaillant tous deux à Montréal, Simon et Maëcha n'ont rien de ces citadins qui effectuent un retour à la campagne ; loin de toute poésie nationaliste mielleuse, ils ont tout simplement construit un lieu, ouvert à tous. Une cabane où l'on ne se regarde pas en train de jouer à faire les sucres, mais bien où l'on fait les sucres, c'est tout. Ici, les vestes Mackinaw sont utilisées pour ce qu'elles sont, réellement : des vêtements d'extérieur pas trop salissants. Certes, Maëcha et Simon connaissent le poids de leurs gestes, la tradition dans laquelle ils s'inscrivent — mais ils sont en 2016, comme tout le monde. Le joug du sucrier, symbole du porteur d'eau, est accroché au mur. Ce n'est pas tant qu'il soit un rappel du passé ; c'est bien plutôt qu'il ne sert plus et n'a jamais très bien fonctionné, de toute manière.

Mes amis ne se regardent pas en train de jouer à créer un pays; ils créent un pays. Rien de flamboyant, sinon la solidarité de ceux qui produisent du sirop d'érable comme ça, presque pour rien.

* * *

Si j'ai parfois eu l'impression de prendre le train de Parizeau en sens inverse, sans pour autant me rendre au terminus, c'est que je perdais et perds encore le sens d'une patrie juste à venir, qui s'incarnerait dans un projet souverainiste, désormais évidé. Le patriotisme renouvelé, prospectif et attentif aux autres plus qu'aux drapeaux pourrait combler ce besoin criant: se voir tel qu'on a été et tel qu'on pourrait être. Et apprendre à connaitre le chemin entre les deux, en discutant, en faisant des plans, en réinvestissant des lieux propices à l'éclosion de l'imaginaire. Quel sera votre Québec? Ce pourrait être le thème de la Saint-Jean-Baptiste 2016.

La route du Pays-Brûlé

QUAND ON QUITTE L'AUTOROUTE 40 à la hauteur de Louiseville, on se retrouve à la porte de la Mauricie. On peut y manger rapidement. Avant d'arriver au Tim Hortons, on doit traverser un carrefour giratoire qui propose, notamment, de suivre la route du Pays-Brûlé, qui mène à Louiseville. Le nom est étrange. La Commission de toponymie en explique ainsi l'origine :

> En 1687, la guerre iroquoise obligea les résidents à quitter Louiseville. C'est pendant cette période que les Iroquois auraient tout incendié sur leur passage, notamment dans la Concession du Pays-Brûlé, le manoir seigneurial est d'ailleurs brulé en juillet 1688. La route secondaire pour se diriger vers le sud fut ainsi appelée la «Route du Pays-Brûlé» tout simplement parce qu'elle conduisait à ce secteur de Louiseville.

À part une cour «à scrap» qu'on devine au loin et une affiche qui annonce des antiquités qu'on ne trouvera pas, il n'y a pas grand-chose sur la route du Pays-Brûlé. Il y a tout de même une voie ferrée, dont parle l'écrivain Jacques Ferron dans son recueil *La conférence inachevée*. Enfant, il prenait ce train qui «filait au-dessus du Brûlé, trois maisons et des bâtiments, un petit rang qui se perd dans les prairies de foin bleu et les marais». Pas grand-chose, donc, ici.

Pourtant, cette route m'est chère. Étrangement, je m'y sens bien. Comme si je comprenais que le fil du temps était plus droit qu'on pense.

Bibliographie

Hubert Aquin, *Journal 1948-1971* (Bibliothèque québécoise, 1999).

Hannah Arendt, *L'humaine condition* (Éditions Gallimard, 2002).

Georges Aubin, *Au pied du courant, Lettres des prisonniers politiques de 1837-1839* (Lux Éditeur, 2000).

Georges Aubin et Nicole Martin-Verenka, *Insurrection. Examens volontaires, tome II 1838-1839* (Lux Éditeur, 2007).

Maxime Raymond Bock, *Atavismes* (Le Quartanier, 2011).

Gérard Bouchard et Charles Taylor, *Fonder l'avenir. Le temps de la réconciliation* (Rapport de la Commission de consultation sur les pratiques d'accommodement reliées aux différences culturelles, 2008).

Laurent-Olivier David, *Les Patriotes de 1837-1838* (Comeau & Nadeau, 2000).

Alfred DesRochers, *À l'ombre de l'Orford* (PUM, 1993).

Fernand Dumont, «De quelques obstacles à la prise de conscience chez les Canadiens français», *Cité libre*, n°19, janvier 1958.

Fernand Dumont, *La vigile du Québec* (HMH, 1971).

Jacques Ferron, *La conférence inachevée* (VLB éditeur, 1987).

Marco Fortier, «Le soupir d'un souverainiste fatigué», *Le Devoir*, 8 juin 2015.

Gérald Godin, *Ils ne demandaient qu'à bruler. Poèmes 1960-1986* (les Éditions de l'Hexagone, 1987).

Richard Hoggart, *La Culture du pauvre. Étude sur le style de vie des classes populaires en Angleterre* (Éditions de Minuit, 1970).

Jules Michelet, *Histoire de la Révolution française II,* vol. 1 (Éditions Gallimard, 1952).

Gaston Miron, *L'homme rapaillé* (Typo, 1996).

Gaston Miron, *Un si long chemin. Proses 1953-1996* (les Éditions de l'Hexagone, 2004).

Jean Moulin, *Premier combat* (Éditions de Minuit, 1947).

Jean-François Nadeau, «Nos dauphins», *Le Devoir,* 10 novembre 2014.

Pierre Nepveu, *Lectures des lieux* (les éditions du Boréal, 2004).

Louis-Joseph Papineau, *Lettres à Julie* (les éditions du Septentrion, 2000).

Jean-Paul Sartre, *Les mots* (Éditions Gallimard, 1964).

Un étudiant en droit [André Romuald Cherrier?], *Procès de Joseph-Narcisse Cardinal et autres. Auquel on a joint la requête argumentative en faveur des prisonniers, et plusieurs autres documents précieux* (John Lowell imprimeur, 1839).

Pierre Vallières, *Nègres blancs d'Amérique* (Éditions Parti pris, 1968).

Remerciements

Pour toutes les bonnes raisons du monde :
Geneviève Goulet, Jean-François Nadeau, Maëcha Nault, Simon Tessier, Yvan Lamonde, Marie-Josée Lewis, Justine Latour, Yvon Rivard, Maxime Raymond Bock, Patrice Lessard, Marie-Andrée Beaudet, René Audet, Chantal Saint-Louis, Annie Cantin, Nicolas Langelier et Judith Oliver.

—

Le chapitre « Réflexions d'un lendemain d'élections » est une version largement modifiée d'un texte initialement paru sous le titre de « Triste apostille » dans le numéro d'avril-mai 2014 de *L'Action nationale*.

À propos de l'auteur

Professeur d'histoire littéraire et intellectuelle du Québec à l'Université Laval, **Jonathan Livernois** est né en 1982 à Saint-Constant, sur la Rive-Sud de Montréal. Essayiste, il a fait paraitre, en 2014, *Remettre à demain : essai sur la permanence tranquille au Québec*, aux éditions du Boréal.

À propos de la photographe

Justine Latour est née en 1985 à Shawinigan, en Mauricie. Après des études au Québec et en France, elle s'installe à Montréal. Elle est photographe.

Les titres de la collection **Documents**

La juste part
*Repenser les inégalités, la richesse
et la fabrication des grille-pains*
David Robichaud et Patrick Turmel
2012

01

Année rouge
*Notes en vue d'un récit personnel
de la contestation sociale au
Québec en 2012*
Nicolas Langelier
2012

02

Le sel de la terre
*Confessions d'un enfant de la
classe moyenne*
Samuel Archibald
2013

03

Les tranchées
*Maternité, ambigüité et féminisme,
en fragments*
Fanny Britt
2013

04

Constituer le Québec
*Pistes de solution pour une
véritable démocratie*
Roméo Bouchard
2014

05

La vie habitable
*Poésie en tant que combustible
et désobéissances nécessaires*
Véronique Côté
2014

06

Second début
*Cendres et renaissances
du féminisme*
Francine Pelletier
2015

07

**Je serai un territoire fier
et tu déposeras tes meubles**
*Réflexions et espoirs pour
l'homme du 21e siècle*
Steve Gagnon
2015

08

La route du Pays-Brûlé
*Archéologie et reconstruction
du patriotisme québécois*
Jonathan Livernois
2016

09

Achevé d'imprimer par Marquis Imprimeur
à Louiseville, Québec, en mai 2016.

Ce livre a été imprimé sur du papier Rolland contenant 100%
de fibres postconsommation, fabriqué au Québec à partir
d'énergie biogaz et certifié FSC® Sources mixtes et ÉcoLogo.